INICIACIÓN A LA

Caligrafía

INICIACIÓN A LA

Caligrafía

p

Copyright © 2007 de la edición en español

Parragon Books Ltd
Queen Street House
4 Queen Street
Bath BA1 1HE, UK

Diseño: Design Principals
Texto: Mary Noble
Caligrafía: Mary Noble

Traducción del inglés: Eva Vico Paredero
para LocTeam, S. L., Barcelona
Redacción y maquetación de la edición en español:
LocTeam, S. L., Barcelona

ISBN: 978-1-4054-9207-2

Impreso en China
Printed in China

Contenido

Introducción

Bienvenido al mundo de la caligrafía, un gratificante pasatiempo que le permitirá dar rienda suelta a su pasión mediante la escritura de títulos, etiquetas y sobres, o la elaboración de obras de arte dignas de ser enmarcadas y expuestas en la pared. Lejos de convertir la caligrafía en algo superfluo, la era digital nos ha liberado de la carga que representaba la escritura diaria y ha permitido a los calígrafos dedicarse a tareas especiales en las que lo que se valora es el trabajo artesanal.

Material básico

Empiece con algunos utensilios básicos y adquiera más a medida que crezca su afición. La mayoría del material se halla fácilmente en tiendas de artículos de bellas artes o en papelerías grandes. Lo más importante es:

Bloc de papel de esbozo blanco fino, o papel para fotocopiadora.

Regla de plástico con marcas claras.

Lápiz para trazar líneas rectas H o 2H; se mantiene afilado más tiempo que el HB.

Sacapuntas, ya que los lápices romos no permiten trabajar con precisión.

Cinta de carrocero para sujetar el frasco de tinta y mantener el papel en su sitio.

Utensilios de escritura

Los rotuladores son una buena herramienta para empezar ya que son fáciles de usar.

Tenga en cuenta que la tinta se agota y que deberá reemplazarlos cuando la punta comience a gastarse. Sirven sobre todo para escribir en sobres.

Las plumas estilográficas vienen en juegos de distintos tamaños y son prácticas puesto que la tinta se halla dentro de un cartucho que no permite que se derrame.

Las plumas desmontables son las que emplean los profesionales dado que pueden usarse con toda clase de pinturas y tintas. Además, son lavables e intercambiar los plumines resulta sencillo. Suelen llevar algún tipo de depósito adosado al plumín para almacenar la tinta o la pintura.

Tinta

Los cartuchos para plumas estilográficas pueden ser negros o de colores vivos; son ideales para trabajos cortos porque se gastan.

Existe gran variedad de **frascos de tinta** para plumas desmontables; no use tinta que contenga laca o acrílico, ya que esa es más adecuada para realizar aguadas de fondo que para escribir. Opte por tinta permeable; la tinta japonesa Sumi es la mejor, pero también puede usar tinta china o india.

Pinturas

Las acuarelas son colores brillantes, fáciles de mezclar. Se venden en tubo y en tarro; úselas sobre papel blanco.

El guache es un tipo de pintura mate que destaca sobre papel de color y en fondos. Se mezcla con agua para obtener la consistencia de la tinta.

Tablero de dibujo

Escribir sobre una superficie inclinada permite al calígrafo controlar mejor el flujo de tinta y adoptar una buena postura. Busque un trozo de contrachapado de tamaño A3 y fórrelo con seis hojas de periódico, añada una cubierta blanca y fíjelo todo con cinta de carrocero. Apoye el tablero contra unos libros en una mesa que goce de buena iluminación.

Lámina de protección

Coloque un trozo de papel bajo su mano para proteger el trabajo de las salpicaduras y de la grasa de la mano.

Glosario

Arco: rasgo constitutivo de las letras *n* y *m* en las itálicas y las fundacionales, las cuales difieren mucho.

Astas ascendentes y descendentes: extensiones que sobresalen del cuerpo principal de las letras, como en *b*, *h*, *g* e *y*.

Contorno interior: blanco de las letras.

Mayúscula: letra de mayor tamaño (o de caja alta).

Márgenes: espacio en blanco de la pagina que debe rodear un escrito para permitir que el diseño resalte.

Minúscula: letra más pequeña que la mayúscula (o de caja baja en tipografía).

Anchura del plumín: método empleado para medir el grosor de letra deseado; por ejemplo, la uncial cuadruplica la anchura del plumín que esté usando.

Ángulo de la pluma: posición del plumín con respecto a la línea de escritura.

Interlineado sencillo/doble: espacio entre líneas requerido para que las astas ascendentes no coincidan con las descendentes de la línea superior.

Altura de la x: área que ocupa el cuerpo principal de la letra, sin tener en cuenta los ascendentes ni los descendentes; representa el espacio sencillo entre las líneas más importantes.

Primeros trazos: dibujos geométricos

Familiarícese con la pluma. Esta posee una punta ancha con forma cincelada, por lo que, a diferencia del rotulador, debe asegurarse de que todo el extremo del plumín permanezca en contacto con el papel durante la escritura. Pruebe a realizar los ejercicios siguientes y aprenda de paso algunos motivos geométricos. Así practicará distintos ángulos de trazo que le prepararán para la itálica minúscula y la gótica a 45°, la itálica mayúscula, la mayúscula romana y la fundacional a 30°, y la uncial a 15°.

Realizará mejor estos motivos con líneas cuyo grosor cuadruplique la anchura de su plumín. La anchura del plumín es lo que permite obtener el espesor correcto de cada letra; en este libro se muestra la anchura más adecuada para cada alfabeto.

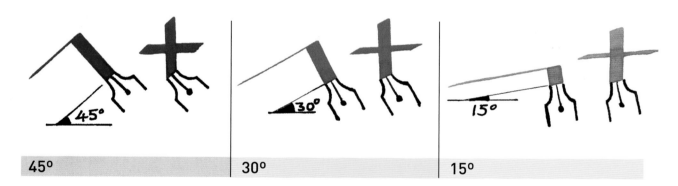

45º	30º	15º

1. Con un ángulo de 45°, los trazos horizontales y verticales deberían mostrar el mismo espesor; a continuación, pruebe a realizar zigzags por medio de trazos más y menos gruesos.

2. Con un ángulo de 30°, el plumín se halla más plano con respecto a la línea de escritura, por lo que los trazos verticales resultarán más gruesos que los horizontales (compruebe que no modifica el ángulo cuando cambia la dirección).

3. Ahora colocamos el plumín aún más plano, formando un ángulo de 15°; las líneas horizontales son todavía más finas y las verticales, más anchas.

Página siguiente:
Arriba: motivos trazados a 45º
Centro: motivos trazados a 30º
Abajo: motivos trazados a 15º

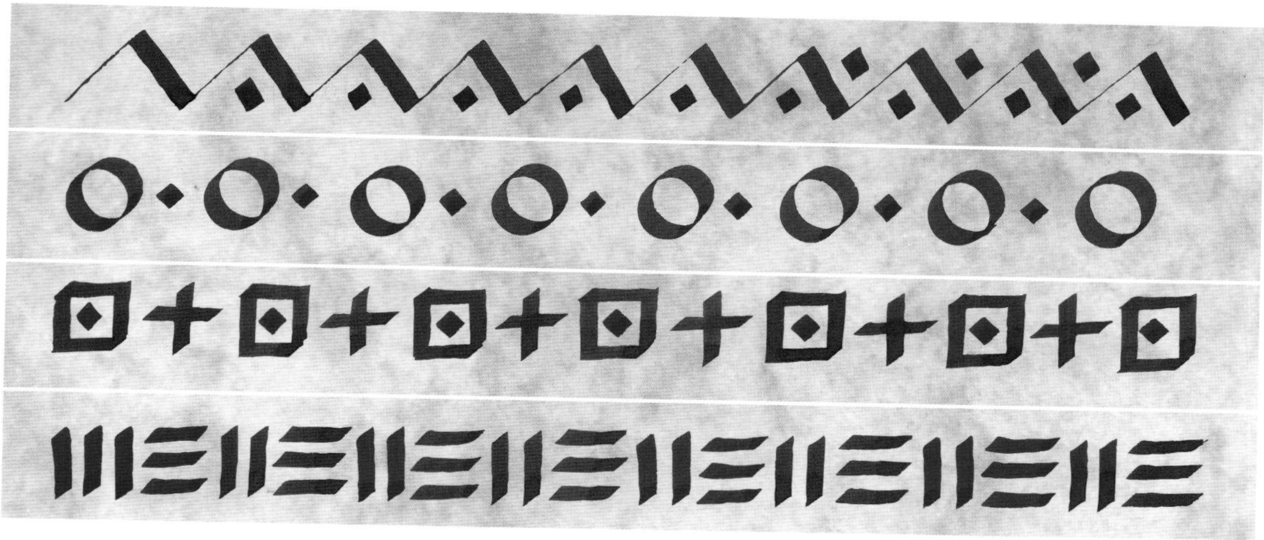

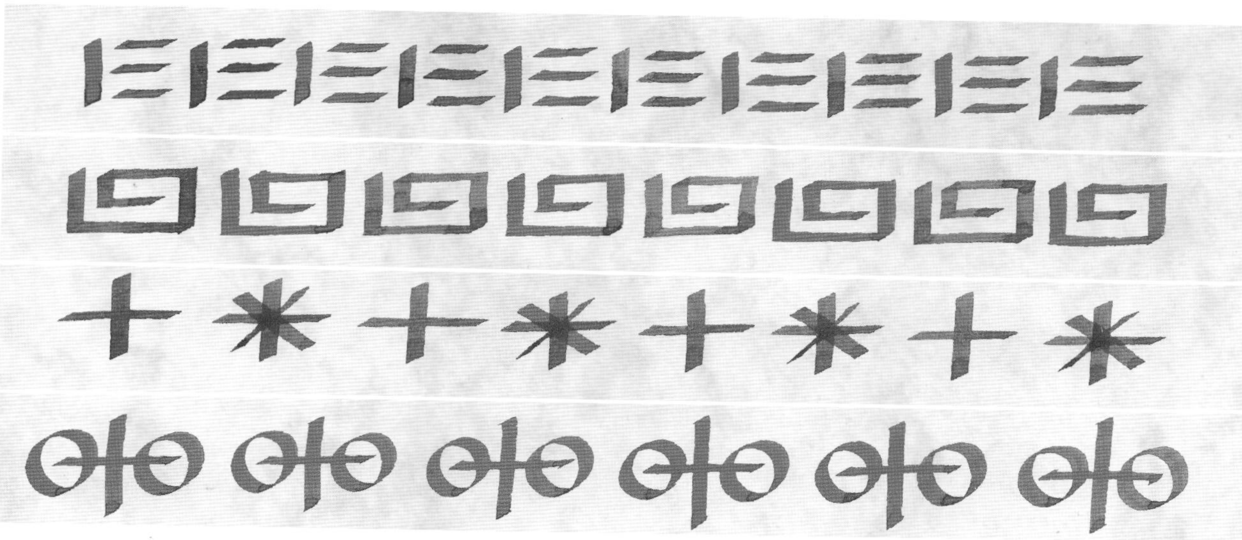

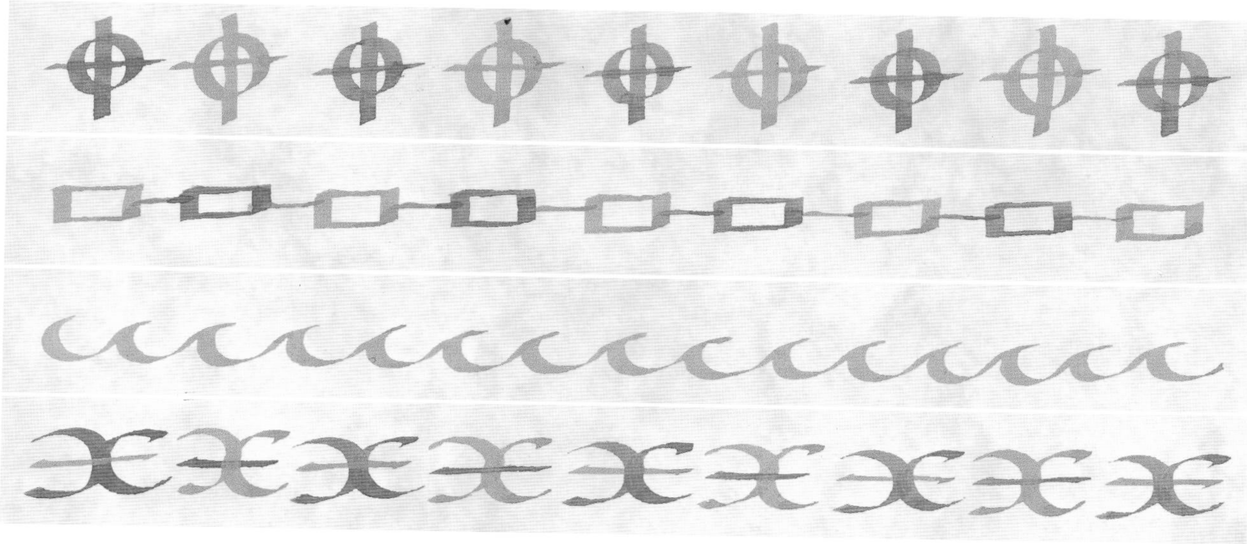

Estudio de las distintas formas de letra

En este libro hallará muchos estilos de letra que resultan apropiados para trabajos distintos. No caiga en la tentación de saltar de uno a otro con demasiada rapidez ya que, si no asimila bien las características básicas que los distinguen, acabará por confundirlos. Considere cada estilo de alfabeto una lengua totalmente distinta; si los mezcla indiscriminadamente solo conseguirá una extraña combinación que no hará justicia a ninguno de ellos.

Características de las familias de letras

Para que un tipo de letra funcione como conjunto uniforme, cada una de las 26 letras debe presentar una cierta semejanza con el resto. El unificador más común es un ángulo de escritura y una altura de la x constantes. Vea la letra siguiente, escrita con ángulos de trazo distintos.

Fíjese en lo que sucede cuando se trazan letras con la misma altura pero con anchuras de plumín diferentes.

En los tipos de letra minúscula, la forma clave es a menudo la *o*, como en la fundacional, la uncial y la gótica. Todas las *o* poseen formas distintas que se repiten en el resto de caracteres, bien en su anchura, redondez o en lo compactas que son, bien en su suavidad o angulosidad, etc.

En las formas cursivas la letra clave es la *a*, debido a los arcos emergentes y a cómo los caracteres muestran un ritmo ascendente y descendente que los distingue de otros estilos.

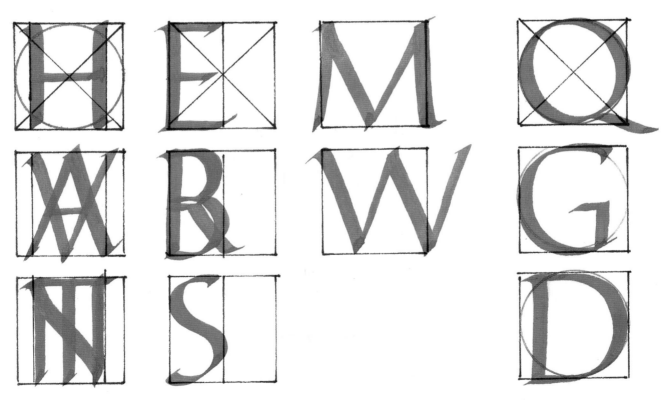

La mayoría de formas mayúsculas derivan de las mayúsculas romanas originales, las cuales se basaban en un diseño geométrico. Por consiguiente, las letras se definen en función de unas proporciones basadas en el cuadrado y el círculo, y en las partes de los mismos.

Cuando haya estudiado un tipo de letra en detalle, pronto empezará a escribir palabras y, después, frases. Llegados a este punto, deberá ejercitar la vista para percibir los espacios entre letras, entre palabras y entre líneas.

rain

rain

LATIN

LATIN

onc adus a trop
son fait la prem
arretier devant gu
onc adus a trop
son fait la prem
arretier devant gu

Blancos entre letras

Las minúsculas poseen un ritmo de trazado vertical regular. En cuanto cobre conciencia de ello, sabrá detectar un interletraje demasiado espaciado; dele la vuelta a la hoja para así dejar de leer el texto y poder evaluar las áreas en blanco y negro. Algunas letras presentan espacios en blanco intrínsecos –la *r* lo tiene a la derecha, la *t* a ambos lados, mientras que la *l* no posee ninguno–. Así pues, deberá otorgar espacio en blanco donde no exista y procurar que los caracteres con blanco propio no ocupen más espacio del que necesitan.

Blancos entre palabras

El espacio entre palabras debería ser algo mayor que el del interletraje, si bien no excesivo para evitar la formación de *calles* a lo largo del texto. Como norma general, el espaciado entre palabras debería ser equivalente a la anchura de la *o* de su alfabeto.

Est modus in rebus, sunt certi denique fines, — 5 | 10

Quos ultra citraque nequit consistere rectum. —

Misce stultitiam consiliis brevem: dulce est —

Blancos entre líneas

Cuando se escribe una página o bloque de texto enteros en minúsculas, debe dejarse espacio suficiente entre líneas para permitir que la vista del lector pueda recorrer la página sin confusiones. Si la línea tiene más de ocho palabras, compruebe que el interlineado es mayor que la altura de la x. Un factor determinante será la longitud de las astas ascendentes y descendentes del tipo de letra, puesto que deben gozar del espacio necesario para no solaparse.

Est modus in rebus,
sunt certi denique fines
Quos ultra citraque — 5 | 7

Las líneas de texto cortas pueden presentar un interlineado reducido.

EST MODUS IN REBUS,
SUNT CERTI DENIQUE FINES
QUOS ULTRA CITRAQUE

Las mayúsculas que no poseen astas ascendentes ni descendentes pueden escribirse con poco espacio entre líneas.

Márgenes

Cuando se tiene una cierta cantidad de texto, hay que pensar cómo colocarlo en la página para lograr un mejor efecto. Deje siempre mucho espacio en blanco alrededor de todo el texto. Cuando desee valorar su composición en la página, consulte «Disposición de una página».

Uncial

S e trata de un alfabeto muy útil para probar en primer lugar, ya que es en mayúsculas. No posee
minúsculas (caja baja) que lo acompañen porque tiene su
origen en el siglo III. Utiliza el ángulo de trazo más cerrado,
15°, y su letra es muy redondeada. Trace líneas separadas
por una anchura cuatro veces superior a la de su plumín
y deje el mismo espacio entre las líneas de escritura.

Procure hallar la *O* oculta en cada letra (aunque sea solo
en lo que a anchura se refiere); vea el esquema inferior.

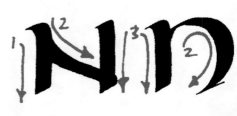

4 veces la anchura del plumín

ángulo de trazo de 15°

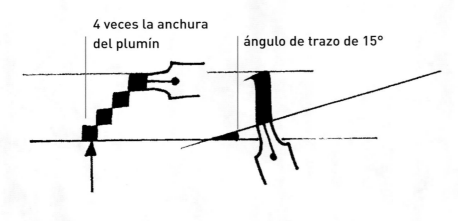

con relación a *O*

halle C, E, G, T

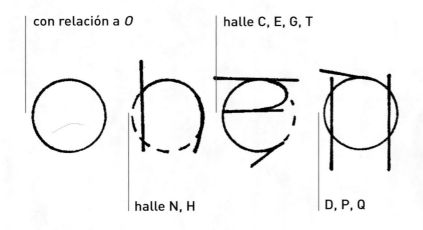

halle N, H

D, P, Q

Fundacional

$\mathcal{A}$l igual que la uncial, se trata de una letra muy redondeada (también debe buscarse la *o*) pero con astas ascendentes y descendentes muy definidas, lo que la convierte en un alfabeto en minúsculas. Se inspira en un tipo de letra del siglo X.

El ángulo de trazo es de 30°, más abierto que el de la uncial pero con la misma altura: cuatro veces la anchura del plumín. No obstante, deberá dejar un interlineado doble para permitir los ascendentes. Fíjese en los altos arcos de la *n* y la *m* (vea el esquema). Use mayúsculas romanas con este alfabeto.

4 veces la anchura del plumín (3 veces más para los ascendentes y descendentes)

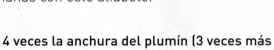

ángulo de trazo de 30°

con relación a *o*   *a* se inscribe en *o*

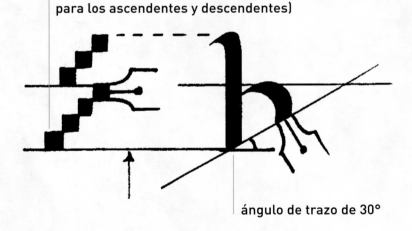

destaca el arco en *n*   *s* se inscribe en *o*

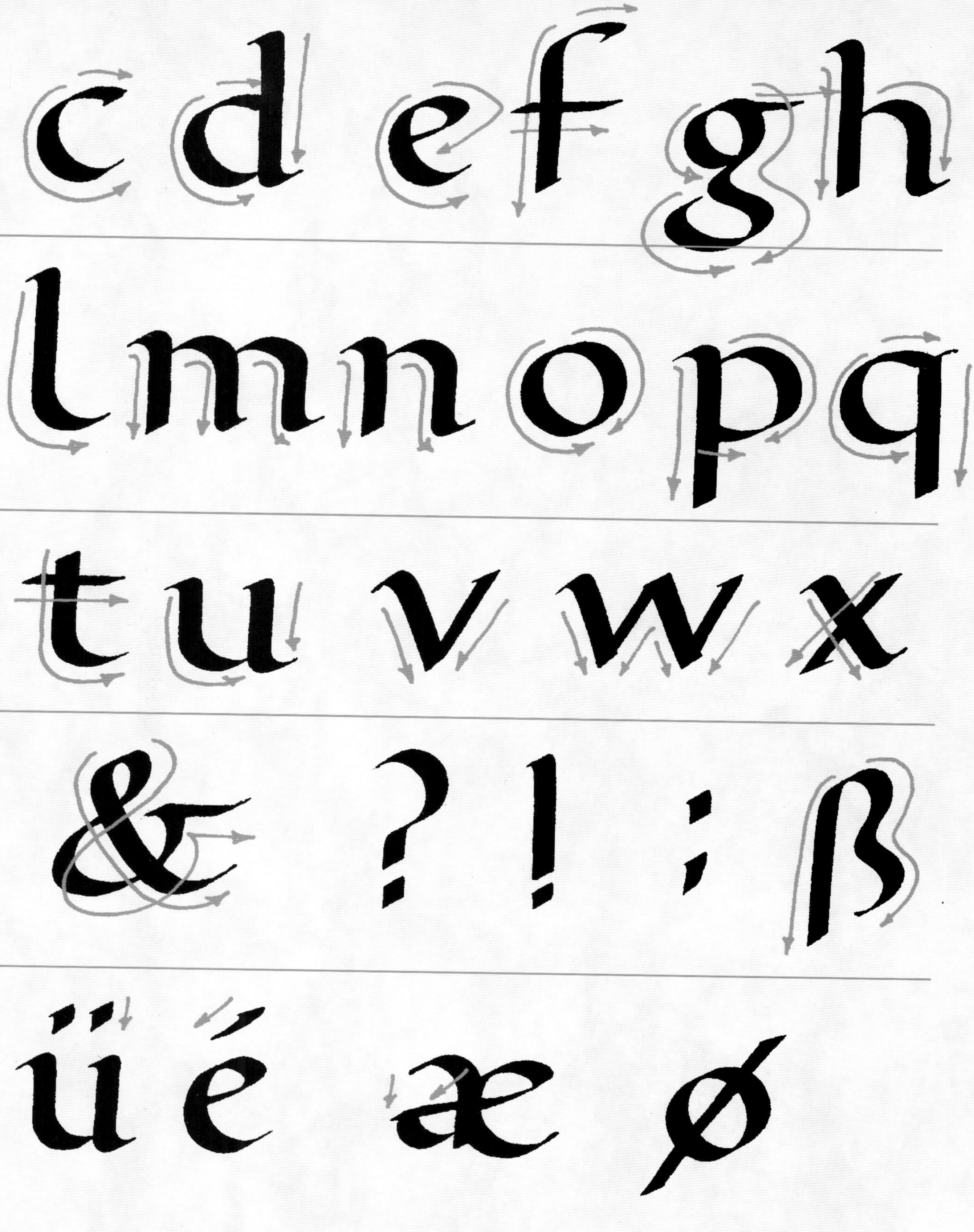

c d e f g h

l m n o p q

t u v w x

& ? ! : ß

ü é æ ø

Mayúscula romana

Como en el alfabeto fundacional, el ángulo de trazo debe ser de 30°. Se trata de un tipo de letra muy antiguo, cuyo origen se remonta 2.000 años atrás, y que hoy sigue vigente. Si se usa con la fundacional el grosor del trazo ha de ser seis veces el ancho del plumín; con otras letras más livianas puede emplearse una amplitud algo mayor. Preste atención a la ANCHURA de estas letras ya que varía en función de la percepción geométrica de los calígrafos romanos que las perfeccionaron. Trace esbozos a lápiz por grupos de distinta anchura (vea esquemas).

6 veces la anchura del plumín | **ángulo de trazo de 30°**

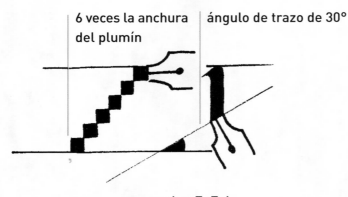

circulares: O, Q, C, G y D

ancho: E, F, L y K tienen ½ anchura del plumín

M se inscribe en el cuadrado, W es más ancha

ancho: H, A, V, N, T, U, X, Y y Z tienen ¾ de anchura del plumín

ancho curvado: B, P, R, S y J tienen ½ anchura del plumín

Rústica

Este estilo de mayúscula no tiene versión en caja baja y se inspira en formas de letra comunes en la Italia del siglo V. Requiere un ángulo de trazo mucho más abierto que otros alfabetos y presenta astas delgadas y terminales gruesos, un rasgo que se evita en la mayoría de estilos. El trazo fino del asta se funde cuidadosamente con el remate ancho, lo que se consigue generalmente manipulando (girando) la pluma, mientras que las diagonales también son gruesas. Así, el ángulo de la pluma pasa de muy abierto (60°) a bastante cerrado (40°). Su mayor atractivo es su elegancia informal, muy adecuada para los títulos.

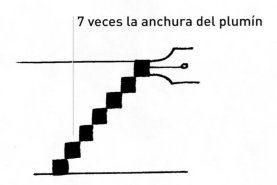

7 veces la anchura del plumín

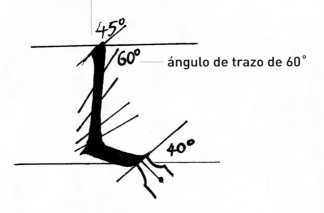

ángulo de trazo de 45°

45°

60° **ángulo de trazo de 60°**

40°

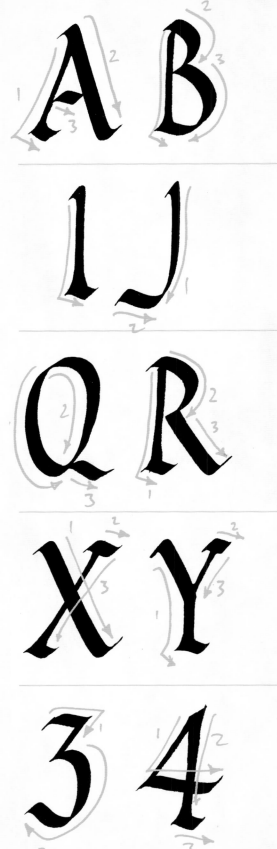

C D E F G H

K L M N O P

S T U V W

Z & ?! 1 2

5 6 7 8 9 0

Versal

Se trata fundamentalmente de la mayúscula romana trazada con una pluma más fina. En el ejemplo se aprecian trazos dobles donde una pluma más ancha habría realizado un solo trazo; en realidad, seguidamente se rellenaría con un tercer trazo para componer una letra sólida y ocultar así la construcción. Las delgadas líneas que componen los remates completan su carácter elegante. Esta construcción básica permite variaciones de grosor, desde muy fina (con trazos muy juntos) hasta densa (se necesitarían varios trazos para rellenarla). Este estilo gozaba de popularidad en la época medieval; hoy en día, la letra se sigue construyendo igual pero se han creado versiones modernas.

La pluma estrecha se sostiene en vertical y en horizontal para conseguir líneas finas y el máximo espesor.

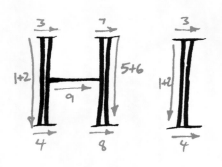

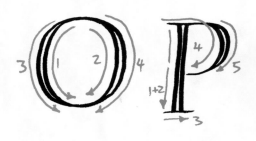

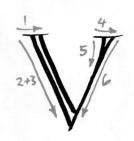

hasta 25 veces la anchura del plumín

el ángulo de trazo oscila entre 0° y 90°

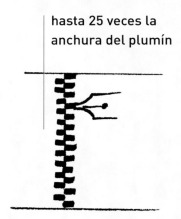

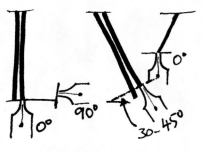

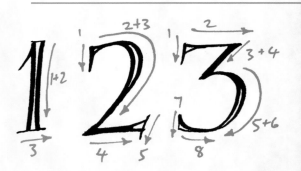

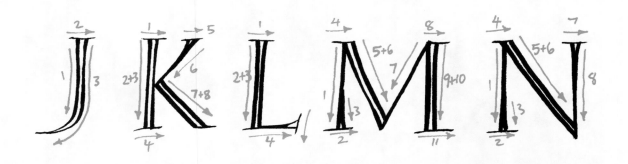

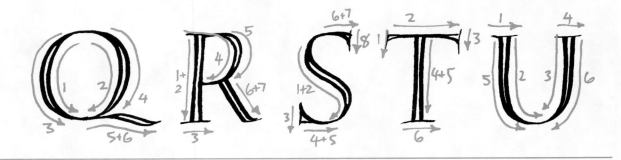

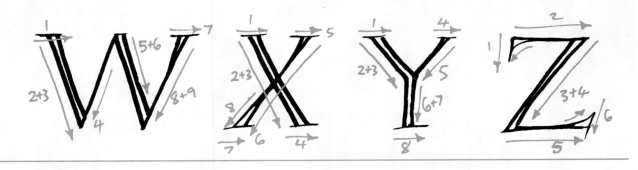

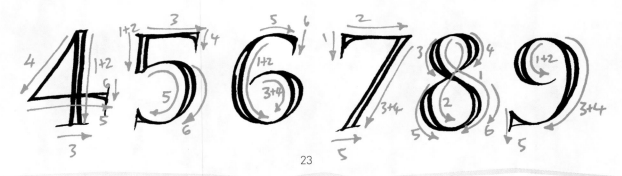

23

Gótica

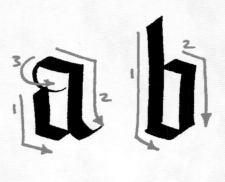

ntre 40 y 45° oscila el ángulo de trazo habitual para escribir estas letras sumamente angulares; para compensar su estrechez es necesaria una altura de cinco veces la anchura del plumín. Mantenga el contorno interior de las letras igual de grueso que su trazo. Desarrollada en la Edad Media, esta letra es densa y compacta, y debería tener el aspecto de una empalizada, por lo que algunas letras se tocan.

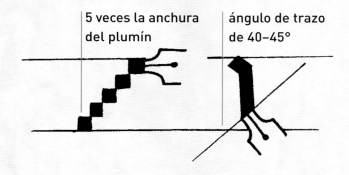

5 veces la anchura del plumín

ángulo de trazo de 40–45°

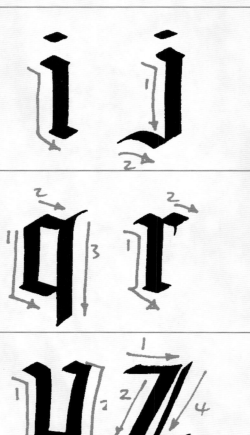

construcción angular

interlineado sencillo (ascendentes y descendentes mínimos)

mantenga el contorno interior estrecho

Gótica mayúscula

*H*ay que usar esta letra tan decorativa con moderación y nunca para componer palabras completas; considérelas las puertas de la cerca que forman las minúsculas. Son anchas y exuberantes pero requieren el mismo cuidado en su construcción. Se consiguen mejor con un ángulo de trazo de 30° y deben ser una o dos veces la anchura del plumín más altas que las minúsculas.

7 veces la anchura del plumín

ángulo de trazo de 30°

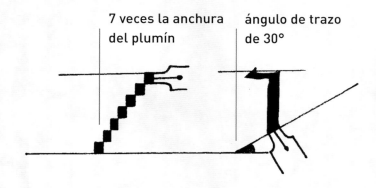

muchas letras basadas en O, C, E, G, T y Q

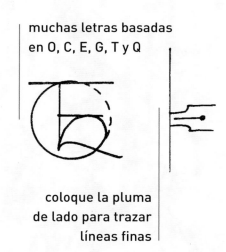

coloque la pluma de lado para trazar líneas finas

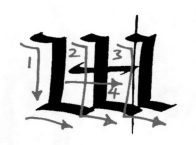

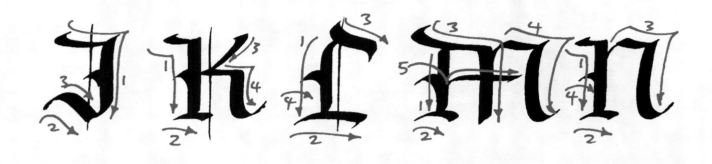

Gótica cursiva

Este estilo tiene su origen en Francia, a finales del siglo XV, y combina la densidad de la letra gótica con un ritmo ascendente y descendente más fluido que más adelante se convertiría en característico de la itálica. También se la conoce como bastarda. Los ascendentes y descendentes son someros y la altura del cuerpo de la letra es de solo 3½ veces la anchura del plumín, lo que le confiere un aspecto sólido. Su naturaleza rítmica y cursiva fomenta la unión de algunos caracteres cuando se escribe un bloque de texto.

El ángulo de escritura oscila entre 30° y 45°, al tiempo que requiere cierta manipulación (un ligero giro) de la pluma.

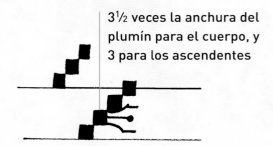

3½ veces la anchura del plumín para el cuerpo, y 3 para los ascendentes

ángulo de trazo de 30°

ángulo de trazo de 45°

Gótica cursiva mayúscula

Explorar este estilo de letra –más informal que la gótica mayúscula– es un ejercicio divertido. No trate de escribir palabras completas con esta letra porque serían difíciles de leer; combínela con minúsculas. Es una letra densa (5 veces la anchura del plumín) ya que ha de casar con la de caja baja y posee una fluidez que la hace atractiva para composiciones informales. Como en la minúscula, el ángulo de escritura puede variar con la manipulación pero el promedio es de 30°.

Los numerales son pequeños para encajar con la caja baja y se construyen con pocos trazos, pues el espacio de que disponen es limitado.

5 veces la anchura del plumín

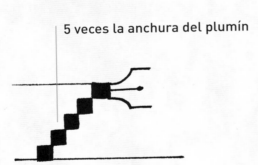

ángulo de trazo de 30°

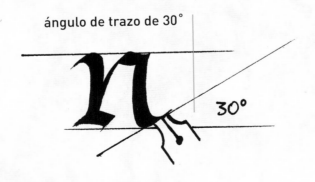

30°

C D E F

I J K L M

P Q R S

V W X Y

1 2 3 4 5 6 7 8 9

Itálica

Esta letra surgió en Italia entre los siglos XIV y XV, y aún hoy es una forma caligráfica adaptable y popular.

Las minúsculas –que se caracterizan por inclinarse hacia la derecha ligeramente– no deben sobrepasar la anchura de la *a* y la *o*, a excepción de la *m* y la *w*, que son más anchas. Los arcos emergentes son un rasgo clave que debe trazarse sin levantar la pluma del papel (vea el esquema). Mantenga un ángulo de 45° y otorgue a las letras una altura de 5 veces la anchura del plumín, con interlineado doble para los ascendentes y descendentes.

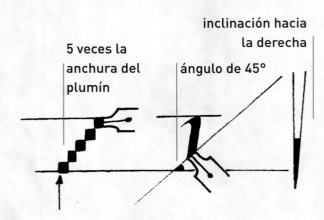

5 veces la anchura del plumín

ángulo de 45°

inclinación hacia la derecha

la *a* se traza de abajo hacia arriba y de nuevo abajo

halle	halle	halle
a, *g* y *d*	*o*, *e* y *s*	*n*, *h*, *p* y *b*

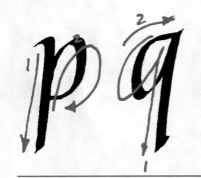

c d e f f g

j k l m n o

r s t u v w

z !?; ß & æ

Itálica mayúscula

Esta letra está pensada para acompañar a la itálica minúscula pero es una adaptación de la mayúscula romana, por lo que se traza con un ángulo de 30° en lugar de 45°, como cabría suponer. Su altura es de siete veces la anchura del plumín (2 más que la de caja baja). Se trata de una mayúscula comprimida e inclinada, de modo que su anchura relativa es menos evidente.

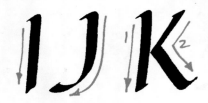

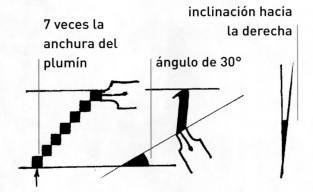

7 veces la anchura del plumín

inclinación hacia la derecha

ángulo de 30°

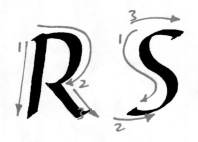

relacione las letras con la O inclinada

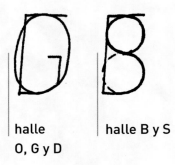

halle O, G y D

halle B y S

C D E F G H

L M N O P Q

T U V W X Y

1 2 3 4 5 6

9 0 & ! ? ;

Itálica ornamental

Las florituras o adornos pueden conferir elegancia a una composición, siempre y cuando no se abuse de ellos. No practique la ornamentación de la letra hasta que domine la versión estándar. Para lograr un efecto óptimo, los ascendentes y descendentes deben disponer de más espacio que en la versión estándar, y cualquier floritura que incorpore debe ser generosa. Los mejores resultados se obtienen cuando la floritura se usa con moderación, combinándola con la versión formal estándar de la letra. Los trazos, amplios y firmes, requieren una plumilla bien cargada de tinta que escriba fluidamente.

La altura del cuerpo es de cinco veces la anchura del plumín, si bien la floritura necesita ocho veces dicha anchura. Existe una leve inclinación y el ángulo es de 45°.

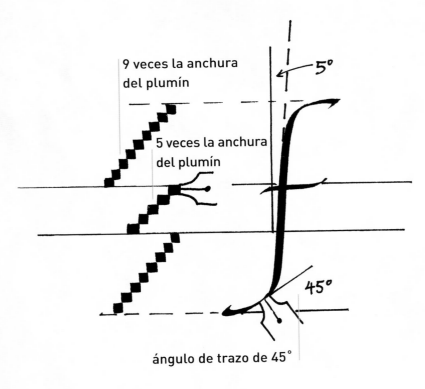

9 veces la anchura del plumín

5°

5 veces la anchura del plumín

45°

ángulo de trazo de 45°

c d d e f g g
k l m n o p q
t u v w x y z
st sp & ! ? ; ~ ° ′

Itálica mayúscula ornamental

Use esta mayúscula con la minúscula ornamental o bien con la versión formal de la letra. Se trata de una versión decorativa y fluida de la itálica estándar y se basa en la mayúscula romana, pero con extensiones. Se pueden escribir palabras enteras con esta mayúscula, si bien es posible que deba reducir las extensiones.

Cabe destacar que la floritura suele aparecer a la izquierda de la letra para evitar posibles problemas de espaciado en las palabras. Mantenga un ángulo de trazo constante de 30° (no de 45° como en la minúscula) y una suave inclinación hacia la derecha. Su altura es de siete veces la anchura del plumín.

7 veces la anchura del plumín

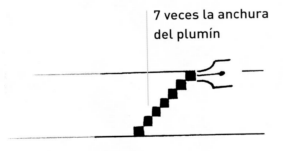

ángulo de trazo de 30°

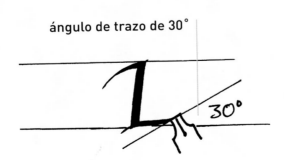

30°

Letra inglesa

Para lograr este tipo de letra se usa una plumilla algo distinta, puesto que se requiere un plumín de punta flexible. A diferencia de los alfabetos realizados con plumilla ancha, los trazos gruesos se obtienen ejerciendo una mayor presión en el plumín para que se abra y libere más tinta. El ritmo de escritura de la letra inglesa sería «trazo grueso al bajar, trazo delgado al subir»; en el trazo descendente se ejerce presión mientras que en el ascendente la pluma se desliza para lograr un trazo fino. Como es lógico, los plumines acaban sufriendo fatiga del metal, razón por la cual merece la pena adquirir varios de ellos desde el principio.

Sujete la pluma en posición paralela al trazo ascendente (es más sencillo para los zurdos); el ángulo de dicho trazo con respecto a la vertical es muy abierto (55°), por lo que, si gira el papel, tendrá una mejor inclinación.

inclinación de trazo de 55°

55°

40

c d e f g h i

l m n o p q

t u v w x y z

œ ;, ! ? k r 1

4 5 6 7 8 9 0

Letra inglesa mayúscula

Se trata de una letra muy ornamental que debe usarse individualmente para acompañar a la minúscula y nunca formando palabras completas, ya que resultaría ilegible. Existe un trazo básico llamado «línea de la belleza universal» que subyace en muchas de estas letras y que vale la pena estudiar en primer lugar para percibir la sutileza del cambio de trazo grueso a fino en las suaves curvas. La construcción de algunos caracteres es poco intuitiva, por lo que deberá seguir las flechas.

Como en la minúscula, existe una fuerte inclinación respecto de la vertical (55°), así que, girando el papel, podrá sostener la pluma más cómodamente.

inclinación de trazo de 55°

55°

«línea de belleza»

C D E F

I J K L

N O P Q

T U V W

Y Z & ?

Disposición de una página

Como primer paso de la distribución, trace una página entera de líneas y, seguidamente, delimite a su alrededor unos márgenes generosos. Como regla general, tome como referencia el interlineado y dóblelo en los márgenes superior y laterales; en el margen inferior agregue la mitad del espacio.

Para una mejor planificación previa, escriba todo el texto y después recorte las líneas en tiras. Dispóngalas en una nueva página y muévalas para diseñar una distribución que le guste. Use esta hoja como guía para conseguir su «mejor versión».

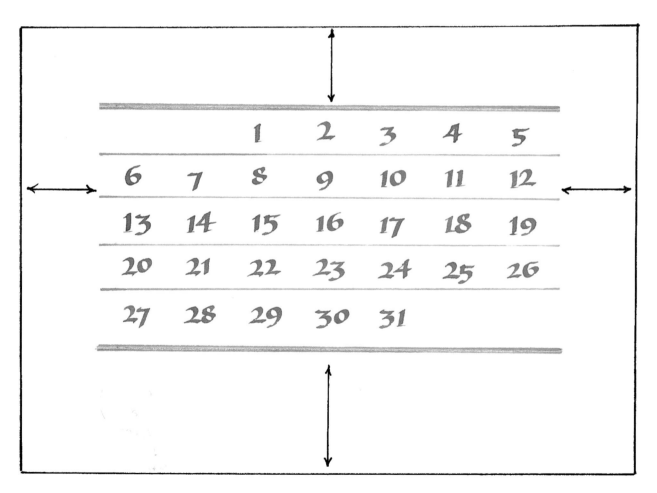

Deje siempre márgenes generosos.
Los márgenes laterales y superior
deben ser iguales; el inferior, mayor.

A lorem ipsum dolor sit amet, consectetuer ad sed diam non euis tin cit ut wisi enim ad minim

La alineación a la izquierda permite incorporar elementos decorativos.

El texto centrado es más difícil de conseguir con precisión; pruebe a compensarlo sobresaliendo ligeramente por la izquierda y la derecha, como aquí. Un punto focal añade interés visual.

Obtención de los colores deseados

El uso de rotuladores de colores, tinta o pintura le ayudará a entender cómo combinan unos colores con otros para así poder crear diseños armoniosos. La mezcla de colores nos revela muchas cosas sobre sus propiedades.

La naturaleza no se equivoca; solo hay que fijarse en cómo el verde de las hojas se transforma en rojo en otoño, dos colores opuestos que no desentonan gracias a la amplia gama de anaranjados y púrpuras que suavizan la transición.

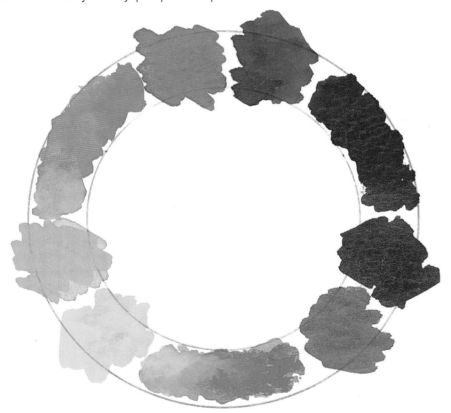

El círculo cromático

El rojo, el azul y el amarillo son los colores primarios; con ellos puede conseguir el resto de colores. El círculo cromático que figura arriba indica cómo obtener los colores secundarios (verde, violeta y naranja) más vivos utilizando dos rojos, azules y amarillos distintos, y muestra la transición hacia dichos secundarios. Los colores secundarios brillantes se consiguen mezclando los dos colores primarios con el tono más próximo hacia ese color secundario.

Neutros

Para lograr efectos más sutiles, debe experimentar
con los tres colores primarios a la vez.

En primer lugar,
pruebe a obtener gris
mezclando rojo, azul
y amarillo. Si sale
demasiado verde,
añada rojo; si es
demasiado marrón,
agregue azul.

Cuando haya obtenido
un gris adecuado, añada
agua progresivamente
para ver tonos más cla-
ros; así se hacen las
aguadas de acuarela.

Ahora proceda a elaborar una mezcla más controlada para explorar el resto de colores que se
esconden tras los primarios. Combine un primario con su secundario opuesto; pasando de uno a
otro gradualmente; le sorprenderá la cantidad de colores intermedios bellos y sutiles que puede
conseguir. Luego intente usarlos con su plumilla en combinaciones suaves.

47

Efectos especiales

Existen multitud de técnicas y materiales de bellas artes que pueden usarse para crear caligrafía; he aquí algunos de ellos especialmente útiles.

Líquido de enmascarar

Se trata de una goma en solución que se comercializa en frascos pequeños. Decante un poco en un plato y agregue una gota de agua para lograr una consistencia adecuada para escribir. Moje la plumilla en el fluido y escriba con él vigilando que el trazo no sea fibroso al secarse el líquido en la pluma. Cuando el texto se seque, quedará transparente. Mezcle pinturas acuosas y aplique una aguada sobre el área. Una vez seca, elimine con el dedo el líquido de enmascarar.

Para lograr un efecto más espectacular, escriba con líquido de enmascarar sobre papel de color oscuro y aplique una aguada blanca. Incluso las líneas más finas destacan perfectamente.

Acuarelas

Las acuarelas son ideales para las aguadas de fondo. Use un papel para acuarela consistente (de 300 g, para que no se arrugue) y un pincel absorbente grande y suave, con mucha agua. Pruebe alguna de las sutiles mezclas descritas en la página anterior o, si dispone de una caja de acuarelas con tonos ocre, intente realizar estas combinaciones:

1. Siena tostado, añadiendo agua para aclararlo.
2. Siena tostado y cobalto (o azul ultramarino).
3. Ocre oscuro y siena tostado.
4. Siena tostado y verde.

1.

2.

3.

4.

Pasteles

Los pasteles se comercializan en una amplia variedad de colores y resultan ideales para papeles más finos, puesto que son un medio seco y no generan arrugas. Y lo que es mejor: es posible incorporarlos después de haber escrito. Se pueden mezclar los colores directamente en la página con un pañuelo de papel; para dar más color a la página ejerza mayor presión. Si desea evitar las rayas, raspe el pastel con un cúter y frote el polvo resultante con un algodón.

Líneas onduladas

$\mathcal{L}$as líneas onduladas constituyen un formato caligráfico muy común, si bien requieren una cuidadosa preparación. Comience trazando una curva a lápiz no demasiado pronunciada sobre una cartulina o una caja de cereales. Con ayuda de unas tijeras o de un cúter, recorte con cuidado la cartulina por la línea curva. A continuación, úsela como plantilla y dibuje la curva en su papel de trabajo. Desplace la plantilla hacia abajo hasta obtener la altura de letra deseada y trace de nuevo la curva. No conviene complicar la composición en exceso con muchas líneas.

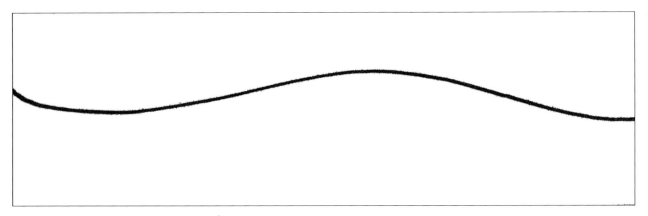

Con unas tijeras o un cúter recorte una cartulina en forma de curva para usarla como plantilla; procure que las curvas sean ligeras. Mantenga una mitad limpia para trazar finas líneas a lápiz.

LOREM IPSUM DOLOR SIT AET CONSECTETUER

Intente que la ondulación sea suave y que las líneas no queden muy separadas. A medida que escriba, vaya girando el papel para lograr letras rectas respecto de la línea de escritura.

Reduzca el interlineado con tipos de letra cuyos ascendentes y descendentes sean mínimos. Las líneas largas con interlineado reducido son difíciles de leer, por lo que un cambio de peso facilita la lectura e imprime énfasis. Mantenga la misma altura de letra pero alterne plumines finos y anchos.

Encerrar una línea de texto fina entre dos líneas más cortas y gruesas genera una composición interesante y puede funcionar muy bien si el texto central contiene un mensaje distinto al del grueso.

Se puede dotar de un interés adicional a las líneas de texto más cortas coloreando el contorno interior de las palabras más gruesas; así se aumenta el contraste y se logra una estabilidad visual del diseño ya que el texto ligero flotante queda sostenido.

Escritura en círculo

Utilice un compás para esbozar un círculo. Calcule la altura del tipo de letra que vaya a emplear y añada otra línea exterior abriendo el compás. Procure que la punta del compás no perfore demasiado el centro del círculo. Con ayuda de una regla trace líneas radiales desde el centro para así poder orientar las letras.

Es posible que deba realizar varias pruebas para determinar el tamaño de círculo que necesita para colocar todas las palabras; ¡no existe una fórmula mágica!

Trace líneas radiales para escribir en perpendicular a la línea base del círculo. Un motivo central ocultará la marca del compás.

Escritura en espiral

Haga que las palabras arranquen en el centro y prosigan formando una espiral en el sentido de las agujas del reloj. Trace una línea y marque en ella dos puntos (A y B) con 1 cm de separación. Coloque la punta del compás sobre el punto A y ábralo hasta alcanzar el punto B. Trace un semicírculo en el sentido de las agujas del reloj. Después, traslade la punta del compás al punto B y ábralo hasta que el lápiz alcance el semicírculo ya trazado; dibuje el siguiente semicírculo. Repita el proceso hasta completar la espiral. Desde el centro, agregue una línea superior para escribir.

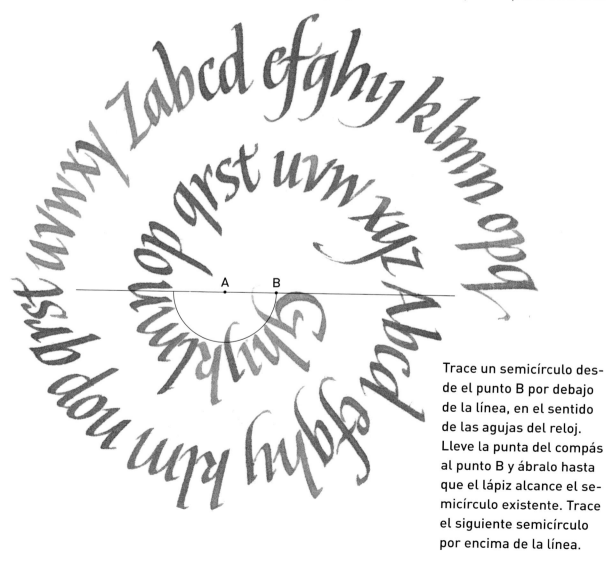

Trace un semicírculo desde el punto B por debajo de la línea, en el sentido de las agujas del reloj. Lleve la punta del compás al punto B y ábralo hasta que el lápiz alcance el semicírculo existente. Trace el siguiente semicírculo por encima de la línea.

Puntos de libro

Elabore sencillos puntos de libro para regalar experimentando con motivos geométricos, colores y caligrafías simples. Cuando los acabe, es aconsejable que los lleve a una copistería para plastificarlos y así prolongar su vida.

1. Empiece por las líneas finas utilizando un rotulador; para trazar los motivos emplee un tamaño de plumilla ancho. Dibuje motivos en forma de *o* con rombos en el centro y, luego, añada los rombos centrales. A continuación, trace los zigzags y, para finalizar, los rombos exteriores.

2. Si desea un regalo más personalizado, pruebe a incorporar un nombre. En primer lugar, escriba el nombre sobre una pauta –las mayúsculas romanas se prestan a ello puesto que carecen de astas ascendentes y descendentes–. Comience a elaborar el motivo desde el final del nombre; después gire el papel y repita el motivo desde el otro extremo del nombre.

3. Si el nombre es corto, puede ser buena idea repetirlo. De nuevo las mayúsculas se prestan a la incorporación de cenefas por encima y por debajo de la escritura, por lo que esta composición es una variante del ejemplo 2. Prepare el nombre, gire la hoja y escríbalo de nuevo. Vuelva a trazar los motivos centrales a partir de los nombres y agregue cenefas por encima y por debajo con un motivo similar. Colorear la composición con lápices de colores aporta un interés añadido.

4. Las letras con astas ascendentes o descendentes brindan la oportunidad de usarlas como parte del efecto decorativo. Trace líneas para delimitar únicamente la altura del cuerpo, escriba el nombre, gire la hoja y repítalo. Dibuje los motivos como antes, explorando variaciones en el uso del color.

1.

2.

HITOMI

3.

IZUMI

4.

Keiko

Etiquetas decorativas

tiquete un tarro, un paquete, su propio vino casero o sus armarios. Clasifique los cajones familiares o las estanterías de su despacho. El sistema más rápido es emplear rotuladores y etiquetas ya hechas pero quizás quiera dedicar algo más de tiempo a aquellos objetos de los que se siente orgulloso: conservas preparadas por usted o un archivo especial para fotografías familiares.

Etiquetas para habitaciones: prepárelas para los niños, pues les encanta tener su territorio identificado. Elija la letra fundacional por su legibilidad y elabore un diseño sencillo. Escriba el nombre con una plumilla ancha y decore con simples líneas pautadas o motivos geométricos.

Esta habitación pertenece a... constituye la decoración de esta etiqueta, enmarcada por unas líneas simples. Asegúrese de que el nombre sea la parte más grande del diseño.

MARMELADE
10 · 9 · 2005 Apfel &
Brombeer

Etiquetas para tarros: Si ha dedicado tiempo a elaborar conservas, puede que no le importe tomarse la molestia de etiquetarlas. Realice su diseño con pluma y tinta, llévelo a la copistería y pida que lo reduzcan y fotocopien. Así no se correrá la tinta y su esfuerzo valdrá para varios tarros.

Wein Wein

Apfel

Si elabora su propio vino tiene una razón de más para crear una etiqueta especial. Este diseño incorpora un dibujo sencillo. Si carece de habilidad para el dibujo, busque fotos en revistas de alimentación hasta hallar una imagen simple que pueda traducirse en un dibujo a la pluma. Casará mejor con el texto si se dibuja con el mismo tipo de movimientos y herramienta. El nombre está escrito en letra gótica para lograr densidad, mientras que la palabra *wein* ('vino') que se repite en la parte exterior está trazada con una ligera itálica ornamental.

Decoración de una letra

*T*odos los ejemplos siguientes tienen como base la letra gótica y emplean técnicas artísticas que le confieren formas especiales dignas de atención individual.

Escriba la *S* gótica con una pluma muy ancha, disfrutando con sus majestuosas formas. Gire de lado la pluma para lograr la delgada línea vertical o emplee un tiralíneas y una regla. Elija un color suave para rellenar los contornos interiores; use lápices de acuarela o bien acuarelas diluidas, y deje una delgada línea blanca alrededor del borde de la letra; permita que los bordes externos de la letra queden desvanecidos.

Escriba la *M* con una plumilla ancha, en un color vivo. Con una pluma más estrecha y un color que armonice con el primero, trace el borde para que parezca una sombra. Use una plumilla muy fina para trazar una línea final aún más delgada.

Trace la letra en un color vivo y añádale otro color mientras el primero aún esté húmedo. Cuando se seque, use un compás con tiralíneas para trazar un círculo lo bastante pequeño como para que la letra pueda sobresalir de él en algunos puntos. Trace otro círculo más fino en el interior del primero y dibuje a lápiz varias líneas diagonales. A continuación, pinte el fondo con colores muy diluidos.

Reproduzca la construcción de la *B* versal pero exagere la anchura de los trazos estructurales para lograr unos espacios interiores generosos. Añada formas rómbicas decorativas para rellenar los amplios espacios. Si desea un interés adicional, rellene alguna de las zonas con un color distinto.

Escriba una letra con marco con líquido de enmascarar. Cuando se seque, mezcle pinturas al agua que combinen bien. Humedezca la zona, salpíquela con los colores y observe cómo se corren. La ventaja de estas letras es que permiten a los colores distribuirse de forma aislada, sin verse alterados por las zonas exteriores.

Pruebe el mismo efecto pero, esta vez, cuando esté seco, perfile el borde exterior con ayuda de un tiralíneas y una regla, usando versiones más intensas de las mezclas de colores. ¡Anímese a explorar otras letras!

El uso del pan de oro

El brillo y la versatilidad del pan de oro confieren una dimensión adicional al trabajo caligráfico. Se suele comercializar en librillos de 25 láminas de unos 8 cm², adheridas a papel vegetal. Existen varios tipos de cola para pegarlo, si bien el más indicado para principiantes es el acetato de polivinilo (PVA) o cola blanca .

La cola blanca se diluye con un poco de agua hasta que adquiere la consistencia de la nata líquida y se le añade una gota de pintura roja para colorearla, de tal modo que destaque sobre el papel blanco.

La solución de PVA puede usarse con la plumilla, aunque podría manchar; aplíquela sobre la pluma con un pincel. Aquí se ha empleado sobre papel coloreado. El pan de oro se aplica cuando la zona está seca y después de haber soplado bien. Elimine el exceso de dorado con un pincel suave; puede pulirlo con cuidado usando una cucharilla.

La mezcla de PVA (ahora rosa) se extiende sobre papel acuarela con un pincel y se deja secar. Sople sobre el área para que la superficie se vuelva pegajosa, y presione el pan de oro sobre ella; repítalo donde se requieran retoques.

Con un estilógrafo aplique una línea de la solución de PVA, y trace líneas de colores a ambos lados. Cuando estén secas, sople y aplique el pan de oro como antes. Todos los bordes pueden tratarse de este mismo modo.

Si desea un toque dorado más sutil, pruebe a añadir un poco de PVA a la tinta o pintura de escribir. Cuando la palabra o letra esté seca, sople sobre ella y presione fuerte con el pan de oro a través del papel vegetal. Es posible que deba repetir el proceso para aumentar la cobertura. El resultado son toques dorados sobre el color original.

Pinte la parte nervada de una hoja con PVA y presiónela uniformemente sobre un papel de color, interponiendo un pañuelo de papel. Despegue con cuidado la hoja y deje que se seque. Después aplique el pan de oro como se ha indicado anteriormente.

Aquí se ha pintado un cuadrado con PVA y se ha dejado secar. El dorado se ha aplicado como antes, soplando y trabajando el área hasta que queda totalmente cubierta. Con un instrumento de punta roma, marque líneas con una regla y dibuje cuadrados. Rasque con suavidad cuadrados alternos en los que pueda penetrar la pintura y píntelos a la aguada.

*U*na letra independiente decorada (una inicial o el comienzo de una composición) brinda la oportunidad ideal para emplear un toque de oro. El término *iluminación* hace referencia al destello del oro, por lo que los ejemplos siguientes son letras iluminadas. El dorado se puede sustituir pero nada es comparable a su brillo.

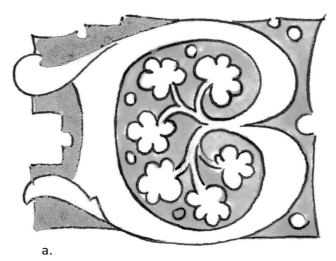

a.

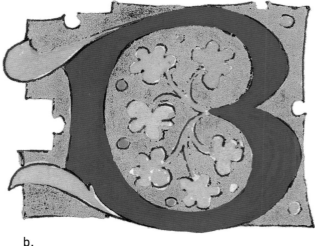

b.

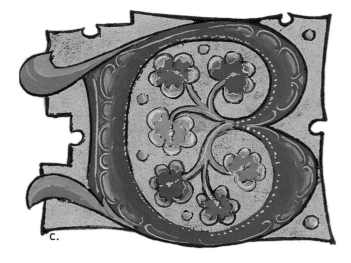

c.

El dibujo de una letra iluminada tradicional consta de varias fases. Esta ha sido copiada de un manuscrito francés del siglo XIV.

a. Se dibuja el contorno con tinta impermeable y se aplica la cola. Es necesario aplicar el oro antes que ninguna pintura ya que podría adherirse a ella.

b. Pinte los colores de base utilizando versiones diluidas y, después, aplique la capa final de color mate.

c. Las líneas blancas decorativas se añaden mediante toques ligeros hechos con un pincel fino. Refuerce el diseño con un contorno negro.

Un uso del oro más sencillo y contemporáneo consiste en rellenar los contornos interiores de letras trazadas a la pluma.

Escribir con cola requiere algo más de práctica pero el esfuerzo merece la pena. Rellene la pluma con bastante cola y vaya añadiendo más; procure evitar las manchas. Puede que deba diluir más la cola para permitir que fluya bien en la pluma pero asegúrese de que cada zona reciba una buena cantidad de cola. Cuando esté seca, sople sobre el área y aplique el oro al igual que antes; seguidamente, rellene los contornos interiores con lápices de colores.

a.

b.

c.

Las letras versales son especialmente apropiadas para la técnica de decoración de iniciales. Estas tres versiones de *H* ilustran diferentes maneras de tratar la misma letra con algo de imaginación.

a. Trace la letra y dótela de mayor anchura en el asta. Con ayuda de una regla y un tiralíneas, agregue un cuadrado dividido en ángulos rectos. Antes de pintar los cuadrados, aplique el oro.

b. Otorgue mayor anchura a las astas para poder ornamentarlas más y añada un rombo de oro a modo de asta transversal. Pinte las astas y agregue las finas líneas blancas con un pincel pequeño.

c. Para lograr una variante del diseño anterior, pinte cada asta con dos colores distintos separados por una línea blanca y añada tres rombos de oro en cada asta.

Monogramas

*U*na vez que se sienta seguro con la mayúscula itálica ornamental, puede emplearla para formar monogramas, los cuales son adecuados para el membrete de cartas o para invitaciones de boda que combinen dos nombres unidos mediante el signo &. Al realizar la combinación de letras, es importante comprobar que las junturas no lleven a confusión óptica o provoquen ilegibilidad; busque la simplicidad y el equilibrio.

Combinación de *H* y *E*:

1. La primera versión, sin adornos, sirve para evaluar su potencial.

2. Ambas letras poseen astas transversales, por lo que una primera posibilidad es equilibrarlas mediante extensiones idénticas.

3. El desarrollo lógico es unir las dos letras mediante el trazo central, con un asta transversal continua, pero ello puede resultar confuso. ¿Pone *JHE*?

4. Letras separadas, con florituras a izquierda y derecha para equilibrar.

5. Aquí se subraya el equilibrio ya que la floritura superior izquierda de la *H* compensa la floritura inferior derecha de la *E*. Las letras se hallan unidas por el asta transversal.

6. Sin uniones y con ambas florituras en la parte inferior.

7. La introducción del signo & (*et* en latín, que significa *y*) proporciona un potencial decorativo adicional.

8. Una versión final en color.

Otros ejemplos:

VA. Dos letras diagonales que encajan perfectamente; sus trazos delgados se hallan contiguos y los gruesos presentan unas leves florituras.

GA. Procure no combinar las astas transversales de dos letras diferentes, pues podría crear un carácter adicional involuntariamente. Aquí las astas transversales son reflejo la una de la otra puesto que muestran el remate a la izquierda.

CSB. En este caso las letras pueden plantear más dificultades, sobre todo si no poseen un potencial decorativo evidente; una posible solución es una composición en diagonal sin grandes pretensiones ornamentales.

G&F. La combinación de dos versiones de letras con astas descendentes confiere equilibrio. En este ejemplo, el signo & constituye un elemento más pequeño en la composición y ha sido trazado con una plumilla más fina.

MK. Si se desea utilizar las iniciales de una persona en papel de carta, es aconsejable añadir el nombre completo a modo de subrayado.

Ahora pruebe con sus propias iniciales; primero copie las letras ornamentales de los ejemplos y, después, use un papel fino (de esbozo o de calcar) para observar cómo pueden combinarse antes de ponerse a escribirlas.

Ornamentar un nombre

A menudo desea escribir una palabra o un nombre solos y dotarlos de interés visual por medio de adornos; una invitación, una etiqueta o una tarjeta para indicar la posición de alguien en una mesa, por ejemplo. El nombre ideal sería aquel que posea tanto un ascendente como un descendente, y una mayúscula fácil de decorar.

1. Adorno desde la parte superior de la mayúscula y versión no convencional de la *g* ornamentada.

2. Otra variante de la *H* y una *g* convencional con una floritura más elaborada, la cual requiere un trazo final rápido.

3. Versión con tan solo un descendente extendido y un asta transversal extendida en la mayúscula.

4. Ascendente y descendente con floritura invertida que producen un efecto de total equilibrio.

5. Ascendente y descendente invertidos mucho más elaborados que otorgan gran altura al conjunto del diseño. En la mayoría de casos, resulta demasiado exagerado y pone en peligro la legibilidad de la palabra en favor de su ornamentación.

6. Variante más simple del ascendente y descendente con floritura pero que difiere del «efecto espejo» mostrado en el ejemplo n.º 4.

Anna Gerard

Viktor Wilhelm

He aquí otros ejemplos que muestran soluciones alternativas para aquellos casos en que no se da una combinación equilibrada de ascendentes y descendentes:

ANNA. Aquí no hay extensiones de ningún tipo y el interés recae en la letra mayúscula. Siempre es aconsejable que la floritura se sitúe a la izquierda de la letra para evitar que interfiera con el resto del nombre.

GERARD. Solo presenta una _d_ adornada; su posición en el extremo opuesto de la mayúscula contribuye a equilibrar el diseño.

VIKTOR. Aquí la _k_ minúscula presenta astas ascendentes y descendentes, si bien deberá procurar que la cola no invada el espacio de la letra siguiente. La _r_ final puede mostrar una extensión.

WILHELM. Dos ascendentes adyacentes pueden causar problemas; limítese a no adornar el primero y dotar de floritura al segundo o bien escríbalos a alturas distintas, como se muestra aquí, de tal modo que puedan solaparse.

Caligramas

Un caligrama es una imagen hecha a partir de formas caligráficas. Puede resultar divertido experimentar con varias formas y jugar con colores afines. El objetivo es que todo el dibujo esté compuesto de letras, si bien el trazo a la pluma del contorno o de pequeños elementos ayuda a definir y a hacer reconocible la imagen.

El uso de distintos tamaños de pluma contribuye a crear perspectiva o a contornear una forma curva. En primer lugar, elija su imagen; debe ser distintiva y de perfil reconocible. Después decida qué palabras incluirá (suele optarse por una selección de vocablos relacionados con la imagen que se repiten hasta llenar el espacio).

La hoja de roble posee una forma característica que ayudará a su identificación. Mezcle varios colores otoñales o seleccione tinta roja y verde, y decante un poco en una paleta para que se mezclen. Para lograr interés visual, use dos o tres tamaños de plumín distintos; escriba algunas palabras grandes y otras muy pequeñas para rellenar los espacios. Las hojas del otoño poseen colores que inspiran; déjese guiar por ellos para elaborar las combinaciones cromáticas. Asegúrese de rellenar todo el interior de la imagen.

Una zanahoria con hojas brinda la oportunidad de realizar un primer intento con una forma relativamente simple en dos colores. Empiece trazando a lápiz el contorno de la imagen y escriba la palabra que se repite formando curvas para sugerir la forma redondeada de la zanahoria. Para dibujar los tallos use una pluma y escriba *hojas* (en cualquier lengua) con una pluma pequeña para lograr un efecto de puntas plumosas.

Un gato sentado también posee una forma distintiva pero resulta más difícil de rellenar, ya que requiere trazar muchos contornos. Intente escribir el cuerpo principal con una pluma ancha y dibuje una cola y unas patas delanteras atigradas. Debe definir los ojos y la nariz con una plumilla de tamaño medio y perfilar el contorno de la cara escribiendo alrededor de ellos. Si desea probar con otras posturas, busque fotos en revistas y trace los contornos como punto de partida.

El diseño de las páginas

Existe una serie de sencillas reglas geométricas para diseñar las páginas de un libro, las cuales funcionan mejor si las proporciones no son extremas; en la doble página abierta, si un lado no sobrepasa el doble del otro. Si ocurre esto último, deberán hacerse algunos ajustes para obtener un equilibrio visual.

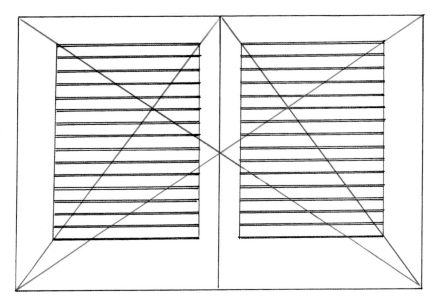

Trace líneas en diagonal que crucen toda la página doble y luego repítalo en las páginas sencillas. Establezca la medida de margen más estrecha en el centro y trace nuevas líneas verticales. El punto en que dichas líneas se encuentran con la diagonal superior indica el límite del margen superior. Márquelo. El punto en que el margen coincide con la diagonal exterior indica el límite del margen lateral. Trácelo. El punto en que este margen se encuentra con la diagonal indica el límite del margen inferior.

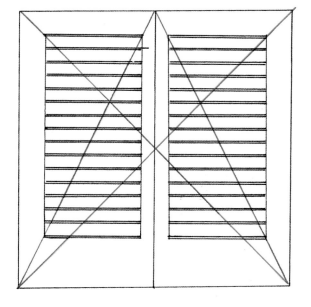

Esta pauta geométrica también funciona con un diseño más estrecho. Claro está que cuando empiece a escribir su texto puede que necesite ajustar los márgenes ligeramente, pero el patrón geométrico le servirá de punto de partida.

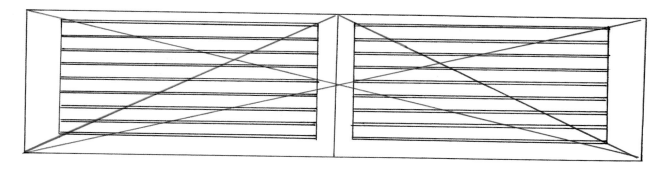

Este método no funciona con proporciones muy anchas. En este caso, el resultado son unos márgenes superior e inferior demasiado pequeños.

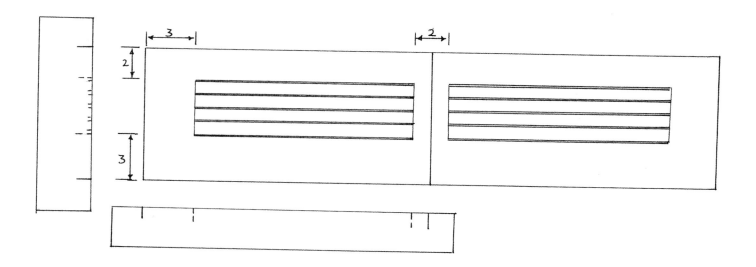

En lugar de ello, empiece definiendo la medida deseada de margen central (a ambos lados del pliegue) y pruebe a usar la misma medida en el margen superior; luego, aumente los márgenes laterales e inferior agregando aproximadamente la mitad de dicha medida.

Una vez fijados los márgenes, prepare una plantilla para asegurarse de que todas las páginas del libro presentan el mismo diseño y así ahorrarse tiempo midiendo. Prepare dos trozos de cartulina que sean más largos que las páginas del libro; marque en uno de ellos todas las líneas del extremo superior de la pagina, las de escritura y las del extremo inferior. En la otra cartulina, señale las marcas que van de izquierda a derecha de la página. Traslade estas señales a los bordes de todas las páginas y trace las líneas correspondientes.

Escribir un libro pequeño

Un libro manuscrito constituye un regalo atractivo y afectuoso si su temática tiene un significado especial para la persona que lo recibe. Los primeros que realice de prueba no tienen que contener mucho texto; para su primer libro, bastará con un verso de una única línea por página. El ejemplo que sigue está extraído de un cántico en latín del siglo VI. Una vez que adquiera soltura, podrá incluir más texto. Para diseñar las páginas, deberá aplicar el método geométrico descrito anteriormente.

Hunc caelum, terra, hunc mare,
hunc omne quod in eis est,
auctorem adventus tui,
laudat exsultans cantico.

En primer lugar, escriba todo el texto para determinar la longitud de las líneas. Sopese cuál es el tipo de letra más adecuado o bien elija aquel que se le dé mejor. En este caso, se ha escogido la gótica por su afinidad con el latín y por su carácter compacto.

Hunc caelium terra, hunc mare

Para escribir una línea por página, tome como referencia la línea de texto más larga y trace un rectángulo a su alrededor; este delimitará la longitud y otorgará al libro unas proporciones armoniosas. Trabajar a partir de una forma económica recortada de un tamaño de papel determinado es otro método, pero no sacrifique los márgenes amplios.

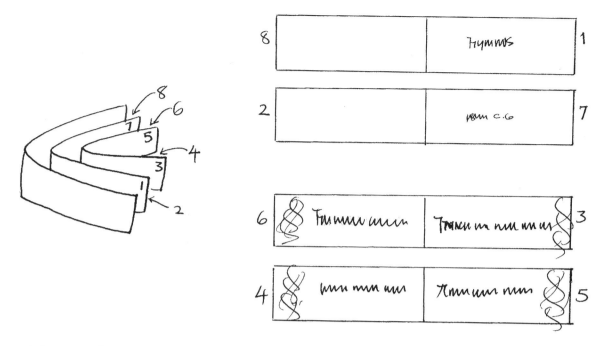

Para elaborar un libro de numerosas páginas y una cubierta, es aconsejable realizar un esbozo de maqueta para determinar cómo realizar la compaginación, puesto que necesitará formar un pliego. Numérelas y etiquételas claramente, y empléelas como guía cuando empiece a escribir.

Raye con una plantilla y escriba las páginas. Procure dejar secar un lado antes de comenzar con el otro. No pierda de vista la maqueta que ha realizado si desea evitar errores, ya que una equivocación grave puede implicar rehacer también el otro lado.

Dado que una sola línea en una página puede quedar un poco pobre, existe la posibilidad de añadir un motivo en el margen exterior. Hágalo del mismo color que haya elegido para la cubierta y con un estilo que combine con el tipo de letra empleado. Aquí se ha utilizado un sello que representa unas hojas de vid y se ha repetido tres veces para crear un efecto sombreado.

Recorte una cartulina de color más ancha que las páginas del libro y cósala al libro por el centro con un hilo resistente a tono.

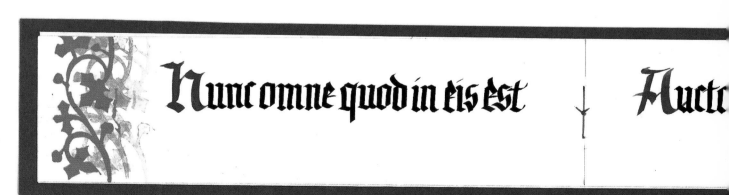

El uso del papel coloreado

El papel coloreado –que se halla en colores vivos o más sutiles– puede ahorrarnos el inconveniente de tener que crear un fondo de aguada. Antes de adquirir una gran cantidad, compruebe que acepte bien la tinta o la pintura; ciertos papeles absorbentes hacen que se corra la tinta y otros más satinados resultan resbaladizos.

Experimente con papel Ingres y coloreado para dibujo al pastel, que posee una cara rugosa y otra lisa (use la última). Los ejemplos siguientes emplean un papel de tono medio, sobre el cual destacan tanto colores claros como oscuros.

Mezcle colores hasta dar con uno más oscuro que el papel y que combine con él, o bien escriba en negro. Si el papel presenta un tono medio o más claro, podrá ver la pauta trazada a lápiz.

Pruebe con pintura blanca y clara en un papel del mismo tono. Le llevará cierto tiempo mezclar la pintura hasta obtener una consistencia lo bastante opaca para el papel pero suficientemente fluida para la pluma. Se recomienda emplear una tinta blanca muy densa que no se corra.

La combinación de blanco y negro sobre un papel de tono medio resulta efectiva. Decida cuál de los dos colores predominará. Aquí el negro complementa las letras blancas centrales.

Se puede crear un diseño más complejo decidiendo también de antemano qué color predominará. Aquí los caracteres negros tienen mayor peso que la cenefa caligrafiada, lo cual produce un efecto decorativo.

La mezcla de colores que combinen con papel coloreado puede requerir diversas pruebas. Si se pretende presentar dos colores, la combinación más armónica será un color claro y otro oscuro, siempre que el papel sea de tono medio, de acuerdo con lo expuesto para el blanco y el negro. En este ejemplo el nombre en amarillo corre el riesgo de verse deslucido por el motivo oscuro; sin embargo, la fina línea amarilla que se ha incorporado al motivo lo aligera.

Cambios de color

Escribir en un solo color sobre papel blanco suele dar como resultado una composición lo bastante atractiva pero, si desea un trabajo más expresivo, pruebe a escribir mezclando distintos colores. Lo importante es elegir colores que combinen bien y no se enturbien, a menos que busque tonos marrones.

EST MODUS
IN REBUS
SUNT DENIQUE
FINES CERTI
QUOS VITRA
CITRAQUE
NEQUIT
CONSISTERE
RECTUM

Las líneas de colores alternos dividen en delicadas franjas la página y confieren interés visual al diseño. Asegúrese de que los colores combinen bien entre ellos. Para estas líneas se mezclaron el magenta y el amarillo cálido.

Est modus 'in rebus, sunt denique fines

Mezcle dos colores que den como resultado otro color atractivo. Ponga los colores en espacios separados de su paleta y llene la pluma con ellos de manera consecutiva, o bien moje la pluma en uno y otro de forma indiscriminada. Así los colores se mezclarán en la pluma.

Escribir con tres colores requiere más intentos y genera más errores. Aquí el magenta, el amarillo cálido y un toque de verde se mezclan para obtener colores más oscuros y neutros. Vuelva a mojar la pluma en los diferentes colores indiscriminadamente, procurando lograr un equilibro cromático.

EST MODVS IN REBVS, SVNT DENIQVE FINES

El goteo de colores es una técnica menos previsible y es mejor usarla con letras grandes para poder ver lo que se está haciendo. La letra debe trazarse de una vez asegurándose de que se mantiene húmeda el tiempo suficiente para hacer gotear el segundo color y que este fluya. Compruebe que los colores se mezclen de forma armónica. Puede ser útil escribir primero con el color más claro y añadir el oscuro para evitar que uno cubra al otro.

Superposición de colores

*E*xplore las posibilidades de la escritura con colores acuosos y muy pálidos como textura de fondo o para realizar motivos apenas visibles. Cuando están secos, se puede superponer un texto de un color más intenso.

Si desea confeccionar una tarjeta de felicitación original, cruce un mensaje repetido de tal modo que forme un círculo. Trace algunas líneas que partan del centro y practique escribiendo primero para determinar la longitud de las palabras, ya que su correcta colocación es clave. Cuando haya completado el mensaje y se haya secado, proceda a situar el nombre en un color más intenso; al igual que antes, conviene realizar algunas pruebas previas.

MYSTERIEUX

Explore la posibilidad de escribir una frase repetida, dispuesta en bloque con un cierto interlineado. Cuando esté seca, escriba más texto con una plumilla más ancha en otro color acuoso y superpuesto en el interlineado. Cuando esté del todo seco –y no antes, pues el texto de la capa superior podría desparramarse–, escriba la capa final con el color más intenso.

Mezcle varios colores sutiles –los de este ejemplo se basan en el verde neutro– y dilúyalos con agua hasta que estén muy líquidos. Escriba la palabra elegida con letra gótica varias veces dejando un espacio en blanco entre ellas; gire del revés la hoja y rellene los blancos con el mismo vocablo. Cuando esta capa se seque, gire de lado la hoja y escriba una nueva capa caligrafiada. Cuando todo esté seco, rocíe la superficie con laca para el pelo para fijarla y evitar que la capa superior se corra, y escriba el mensaje de la capa final con un color más intenso.

Diseño de un alfabeto

Una vez que se ha practicado un alfabeto y se ha familiarizado con él, puede ser muy gratificante crear un diseño usando todas las letras. Elija un tipo de letra especialmente atractivo y explore sus posibilidades.

Antes de empezar, es útil esbozar el diseño a lápiz para comprobar que las letras encajen de manera ordenada, sin que quede ninguna suelta en la parte inferior. En los ejemplos siguientes, se ha concedido un trato especial a una mayúscula; este diseño es un buen regalo si la inicial elegida coincide con la de su destinatario.

La selección de una letra que aparezca en el centro del alfabeto plantea un reto a la hora de equilibrar el resto de caracteres de manera uniforme a su alrededor. Será necesario que realice primero diversas pruebas. Cuando haya fijado los tamaños de pluma y el diseño final, empiece escribiendo la letra central. En este ejemplo ocupa el espacio de dos líneas y se ha empleado un color distinto al del resto del alfabeto. El interlineado es estrecho para lograr un diseño compacto.

La letra *A* suele presentar una forma con interés visual en muchos tipos de letra, por lo que se presta a recibir este trato. Como en la composición anterior, el interlineado es reducido y el cambio de color resulta atractivo. Las líneas de una anchura similar proporcionan un diseño equilibrado.

Cenefas sencillas

Si ha practicado los motivos caligráficos que figuran al principio de este libro, ya dispone de un repertorio con el cual iniciar sus cenefas. Pruebe con distintos anchos de pluma para desarrollar su percepción de la escala y poder decidir qué tamaño debe tener la cenefa en relación con la imagen o el texto interiores.

Este cenefa incorpora dos delgadas líneas trazadas con ayuda de un tiralíneas y una regla. A continuación, se han añadido los semicírculos con una plumilla ancha, seguidos de pequeños cuadrados realizados con una pluma muy pequeña.

El contorno se ha trazado de nuevo con un tiralíneas y el motivo en zigzag se ha añadido despacio para mantener la uniformidad de las líneas y salvar las esquinas con éxito. Si estas le suponen un problema, deténgase en cada lado, poco antes de llegar a ellas, e incorpore un motivo distinto en ese lugar posteriormente.

Este es un diseño sencillo realizado con una plumilla más estrecha que la utilizada para la *S* interior. El motivo es simple pero regular.

El contorno se ha trazado tras escribir la *A* ornamental. La rodea un alfabeto en itálica mayúscula escrito con una pluma muy pequeña, si bien se podría sustituir por un mensaje o un nombre repetido. Cuando la cenefa esté seca, coloréela con lápices de colores o colores pastel.

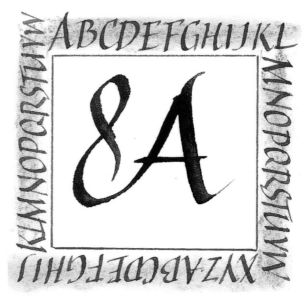

Una cenefa gruesa encierra una mayúscula pesada. El estilo de la cenefa refleja el de la letra. Una vez completada, se le ha aplicado agua para enturbiarla de forma controlada con la intención de suavizarla un poco y de separarla visualmente de la *Q*.

Las cenefas resaltan elementos individuales, como los números de habitación. Para un mayor efecto, el cuadrado descansa sobre una de sus esquinas. Un motivo sencillo de curvas solapadas crea un efecto de cuerda.

Nudos simples

$\mathcal{L}$os nudos constituyen un elemento característico de la tradición celta y son los preferidos por muchos para realizar cenefas y motivos ornamentales. Se suelen usar con el tipo de letra uncial ya que son contemporáneos.

Una vez que haya asimilado la estructura del diseño del modelo, podrá crear sus propias pautas de nudos pero, para empezar, pruebe con estos.

Los nudos celtas forman cenefas espectaculares, si bien hay que procurar que no eclipsen el texto. La cenefa siguiente está compuesta por cuatro ramales, aunque también puede practicar con tres. Trace líneas separadas por la misma distancia y divídalas en cuadrados. Antes de abordar las esquinas, pruebe con las partes rectas. Señale el «esqueleto» (las formas tienen aspecto de peces) y después añada la «carne» a lápiz, antes de resolver el sistema de trenzado.

En las esquinas deberá interrumpir los ramales y trenzarlos sobre sí mismos, prestando mucha atención al solapamiento para evitar que el sistema de trenzado quede confuso.

Rellene los distintos ramales y luego los contornos interiores con un color que combine.

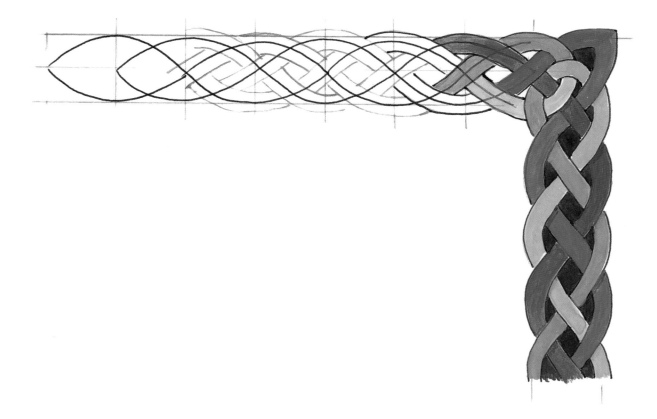

Con ayuda de un compás trace dos círculos concéntricos. Divida el círculo en cuatro partes y, después, subdivida los ángulos rectos en secciones de 45°. Divida a ojo cada sección en tres partes y trace las líneas correspondientes (también puede emplear un transportador para marcar los intervalos de 15°).

Trace la línea curva del esquema partiendo de la marca exterior hasta llegar a la marca interior tres líneas mas allá, y continúe subiendo y bajando alrededor del círculo. Repita el proceso con la siguiente curva prestando atención al punto de partida y atravesando siempre dos líneas. Hay tres ramales; la tercera línea debería ser más sencilla de trazar ya que copia las otras.

Rellene los esquemas a lápiz para obtener espesor. Cuando tenga clara la secuencia de trenzado, podrá usar la tinta.

Cuando tenga la certeza de que la secuencia de trenzado es correcta, proceda a pintar cada ramal de distinto color.

Aquí se muestra cómo combinar un círculo de este tipo con un texto caligrafiado. Para distribuir alrededor del círculo las palabras que desee emplear, necesitará cierta planificación. Utilice colores que combinen con los que pretenda usar en el nudo. Es aconsejable trazar todas las líneas y escribir el texto antes de dibujar el nudo, por si comete algún error ortográfico.

Sobres vistosos

Cause impresión con su correspondencia y juegue un poco con los diseños. Los sobres representan una manera económica de divertirse con un medio efímero que le permitirá practicar soluciones de diseño, experimentar con los nombres y explorar disposiciones de página poco convencionales.

Procure que la dirección sea claramente legible para el envío postal o puede que el exquisito trabajo de su obra de arte nunca llegue a su destino.

La poderosa letra gótica destaca de maravilla. Recuerde dejar espacio en la parte superior para el sello y el franqueo. La dirección se ubica en el hueco que deja el nombre de pila, más corto que el apellido.

Las direcciones cortas permiten su escritura en una sola línea central, con el nombre decorado arriba y abajo. Este nombre solo presenta ascendentes en la línea superior y un descendente en la inferior, lo cual brinda la ocasión de explayarse en las florituras arriba y abajo.

86

Otro nombre corto –con nombre de pila y apellido de longitud similar– presentado en itálica mayúscula. Se trata de un diseño simple para un sobre estrecho, equilibrado por la dirección claramente indicada a la derecha.

Aquí el nombre se desplaza hacia la esquina izquierda del sobre y se aprovecha el trazado libre de la *y* final para formar una composición dinámica; la dirección empieza justo debajo del nombre, alineándose con el trazo de la *y* para subrayar el diseño audaz.

El nombre de pila y el apellido presentan una longitud similar y son lo bastante cortos como para componer un diseño en dos bloques. El nombre está escrito en letra uncial, con una pluma ancha, agregando un segundo color al primero mientras aún estaba húmedo. La dirección se ha escrito con una versión más ligera que la uncial y forma un bloque que refleja la forma del nombre.

Citas

El reto que plantean las citas es cómo exponerlas para sacar el mayor partido. Merece la pena considerar un par de enfoques de diseño distintos para ampliar las posibilidades; pruebe con una disposición vertical y otra horizontal.

Escriba primero toda la cita en papel de esbozo para evaluar el volumen del texto y, después, intente dividirlo en grupos de líneas de longitudes equilibradas.

Para este diseño se ha empleado la letra rústica y un motivo basado en un modelo romano; para poder repetir el motivo se ha realizado un sello de goma.

Para realizar el sello de goma, trace el motivo de forma precisa con un lápiz HB. Transfiera el diseño a la superficie de una goma de plástico común presionándola firmemente sobre el dibujo. Si es necesario, refuerce las líneas marcando directamente la goma con el lápiz.

Use un cúter afilado o una herramienta para cortar linóleo para recortar las formas fijándose bien en qué partes deben conservarse. Utilice una almohadilla de color para sellos para comprobar el resultado.

EST MODVS IN REBVS,
SVNT DENIQVE FINES CERTI
QVOS VITRA CITRAQVE
NEQVIT CONSISTERE RECTVM

Este diseño presenta una cenefa hecha con dos colores de tinta distintos y estampada de forma débil con el sello de goma. Escriba primero el texto y fije las medidas de la cenefa después para asegurarse de que encaja. Las líneas de texto significativamente más cortas proporcionan espacio para estampar de nuevo el motivo.

EST MODUS
IN REBUS,
SUNT CERTI
DENIQUE FINES
QUOS VITRA
CITRAQUE
NEQUIT
CONSISTERE
RECTUM

HORACE

Este diseño es más complejo pues utiliza dos tamaños de pluma distintos y presenta una disposición centrada que requiere una planificación muy precisa. La ornamentación es mínima, lo cual refuerza la alineación central y proporciona equilibrio. En la parte superior se ha añadido un motivo estampado con un sello de goma, el cual ejerce de contrapeso y ayuda a equilibrar el texto más pesado de la mitad inferior. El sello pequeño completa el diseño bajo el nombre.

Escritura sobre un tejido

Hay muchos trabajos caligráficos que pueden realizarse sobre tejidos y convertirse en regalos, como pañuelos, manteles o camisetas con monogramas. Necesitará un pincel ancho de nailon –los de pelo de marta son demasiado suaves y los de cerdas, demasiado rígidos–. El polialgodón es un género ideal, aunque también puede experimentar con otros. Si el tejido se ha de lavar, utilice una pintura para tela (evite la pintura para sedas) o una pintura casera si tan solo requiere impermeabilidad.

FELIZ CUMPLEAÑOS

Feliz cumpleaños. Un mantel de cumpleaños resulta divertido e informal. Recorte un tela barata a la medida deseada y marque con tiza unas guías a lo largo de los bordes. Repita su mensaje alrededor del borde del mantel y plánchelo para fijar el color. Deshilache los bordes o cósalos a máquina.

La mayúscula gótica es un tipo de letra atractivo y merece la pena practicarla con el pincel. La *Q* resulta especialmente gratificante, gracias a su largo trazo diagonal. En este ejemplo, los contornos interiores se han pintado con un pincel de punta fina, lo cual aumenta su interés visual.

La forma itálica se presta bien al trazado con pincel. Antes de escribir procure siempre empapar el pincel y luego retirar el exceso de pintura dando a la punta forma de cincel; de otro modo, no podrá trazar con éxito los afilados remates.

La mezcla de colores en el pincel es posible y confiere otra dimensión a las letras. Empape el pincel de pintura amarilla, dé forma de cincel a la punta y toque la pintura roja con uno de sus lados; retire el exceso de pintura y proceda a escribir.

Estos caracteres están pintados con un pincel acabado en punta. El polialgodón es lo bastante fino como para ver a través de él y poder calcar las letras de un modelo. Pinte con cuidado las letras y, después, coloree los contornos interiores. Pruebe a aplicar amarillo en un extremo del contorno y naranja en el otro.

Papel para envolver

El papel kraft es un material muy resistente para envolver paquetes pero carece de espíritu festivo. Personalice sus paquetes creando su propia decoración por medio del trabajo caligráfico. Los ejemplos siguientes están hechos con papel kraft verde –también puede encontrarse en rojo– pero valen para la versión marrón original.

Si el paquete no va a estar expuesto a la humedad, puede pintarse con aguadas pero, si requiere protección, use pintura emulsionada casera y tinta negra permanente. En los tres ejemplos que siguen solo se emplean dos tamaños de plumilla.

Con una pluma ancha y abundante pintura blanca, escriba su mensaje en itálica gruesa repitiéndolo a través del papel, y rellenando la pluma de pintura con frecuencia. Deje un espacio en blanco y repita la línea pero asegúrese de escalonar las palabras; es decir, que el inicio de una palabra se halle bajo el centro de la palabra de la línea superior. Continúe del mismo modo a lo largo del papel.

Escriba el mensaje repetido a lo largo del papel al igual que en la página anterior, con un tipo de letra espesa y un interlineado uniforme. Cuando esté seco, repita el mensaje con tinta negra y una plumilla más estrecha rellenando los espacios entre líneas. El tipo de letra muy liviana en otro color genera contraste.

La escritura en dos direcciones distintas crea un diseño que reduce la legibilidad pero resulta más decorativo. En este ejemplo se emplean florituras ligeras pero exageradas que se superponen, contribuyendo al aspecto alegre de la composición, en la que los caracteres parecen fluir con total libertad. Escriba repetidamente en un sentido, dejando espacios regulares entre las líneas; cuando esto seque, gire la hoja y repita el mismo patrón atravesando las líneas que ha trazado en primera instancia.

La letra pequeña

La escritura con una letra cuyo cuerpo sea inferior a los 4 mm requiere cierta práctica, ya que sigue siendo importante mantener el distinto grosor de los trazos, así como la forma de la letra. A veces es preciso diluir la tinta o pintura para así evitar la monolínea o elegir otro papel que responda mejor a su tinta. Los remates deben ser mínimos para que no ocupen mucho espacio con respecto al trazo.

Explore las posibilidades que ofrece la escritura en blanco y negro sobre un papel de tono medio; el blanco requiere una buena opacidad. El nombre, si bien no es tan pequeño como en la versión inferior caligrafiada, requiere asimismo un trazo ligero y definido. La calidad del papel es un factor determinante para lograrlo.

La mayúscula romana es muy adecuada para tamaños pequeños, siempre que se escriba con trazos ligeros, terminales mínimos y astas transversales no demasiado gruesas. El uso de color sobre papel coloreado requiere una pintura consistente para obtener opacidad. El nombre blanco está caligrafiado con un trazo liviano.

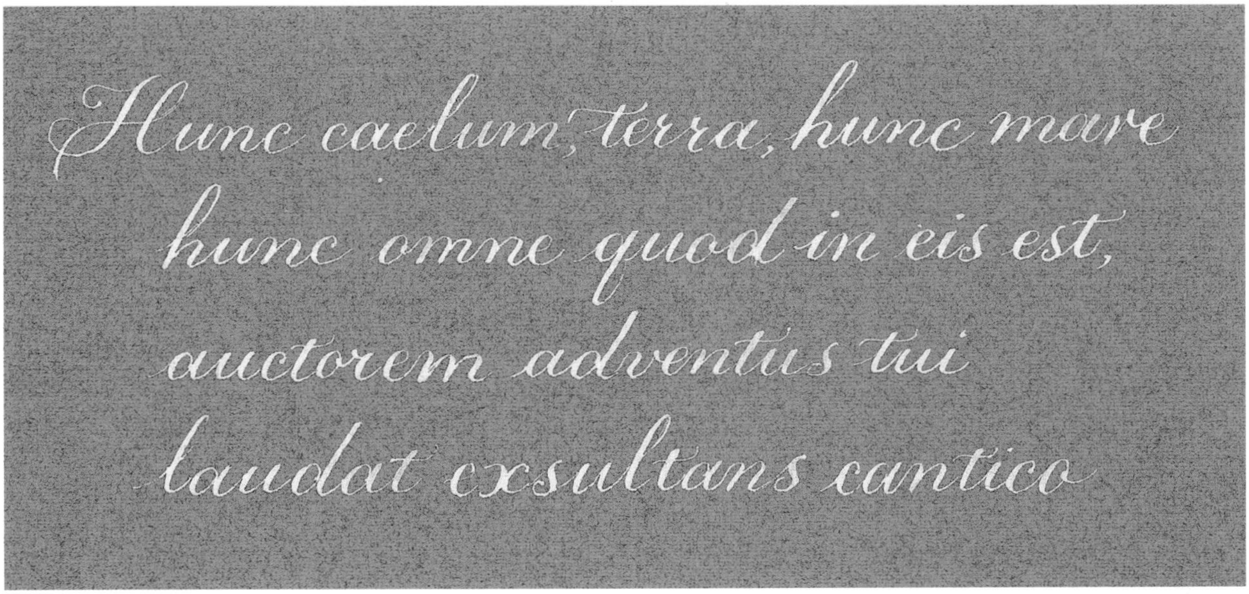

Hunc caelum, terra, hunc mare
hunc omne quod in eis est,
auctorem adventus tui
laudat exsultans cantico

La letra inglesa es una elección muy común para la escritura en letra pequeña ya que el plumín que utiliza es muy fino e invita a trazar líneas muy delgadas. La presión variable que hay que ejercer para escribir este tipo de letra proporciona los trazos gruesos y finos; se debe prestar atención a la consistencia de la tinta o pintura.

Hunc caelum,
terra, hunc mare, hunc
omne quod in eis est,
auctorem adventus
tui laudat
exsultans cantico

La colocación de un mensaje en un espacio reducido –un poema o una cita en una tarjeta, por ejemplo– requiere escribir con letra pequeña. Piense en la forma general del diseño y planifique la disposición de las posibles florituras, que deberían ocupar las zonas más externas de la composición.

Otras técnicas

Pruebe a repetir una palabra que irradie desde el centro para crear un efecto decorativo. Trace líneas en ángulo recto y, luego, añada una línea superior para la altura de la x. Empiece desde el centro y escriba hacia fuera; gire el papel y repita el proceso tres veces más. Coloree únicamente el contorno interior de las letras iniciales para preservar el punto focal central.

Los numerales no suelen recibir la atención que merecen; así que, conviértalos en protagonistas de un cumpleaños o un aniversario.

Primero, escriba el número y después coloree un área cuadrada a su alrededor dejando un espacio en blanco entre el color y la cifra. Con ayuda de la punta de una pluma o, preferiblemente, un estilógrafo, trace líneas de colores arriba y abajo. Para acabar, complete el diseño con espirales y topos festivos.

Y para acabar...

Aquí hemos expuesto tan solo algunos tipos de letra y técnicas para brindarle unas nociones básicas. Apúntese a un taller para desarrollar sus habilidades, compartir ideas y ganar soltura. Diviértase y ¡no deje de escribir!